Chicago

Irving Weisdorf & Co. Ltd.

Chicagos überwältigende Skyline.

Seit mehr als einem Jahrhundert zählt Chicago zu den bedeutensten Städten der USA. Scherzend die "windige Stadt" genannt, hat der Spitzname überhaupt nichts mit dem Wetter zu tun, sondern bezieht sich auf die langatmigen Reden der damaligen Politiker.

Wenn man heute die imposante Innenstadt sieht, dann muß man schon viel Phantasie mitbringen um sich vorzustellen, daß hier an den Ufern des Michigansees einst die Illinois Indianer gelebt haben. Sie nannten ihr Land "Chicaugou", was sowohl gewaltig, großartig oder stark und kräftig bedeuten könnte, aber ebensogut auch Stinktier oder großer Gestank. Ein durchaus passender Ausdruck, denn über den "Portages", den Pfadverbindungen, die die Indianer als Transportwege von Wasserstraße zu Wasserstraße für ihre Kanus benutzten, lag immer ein teuflischer Gestank von wildwachsenden Zwiebeln. Hier, an der dreigabeligen Mündung des Michigan Rivers, entstand Chicago. Die französischen Pioniere Jolliet und Marquette schlugen hier als erste ihre Zelte auf; nach und nach folgten einige Landsleute, und um 1770 entstanden die ersten Niederlassungen. Nur zwei Generationen später – in 1837 – wurde die Siedlung zur Stadt erklärt.

Chicago zeugt von einer unbändigen Lebenskraft und wird oft als "Herz des mittleren Westens" bezeichnet. Mit ihren hohen Wolkenkratzern und streng rechtwinkligen Straßen ist sie die "amerikanischste" Stadt. Mit über sieben Millionen Einwohnern ist sie sowohl bevölkerungsmäßig wie auch flächenmäßig die drittgrößte Stadt der U.S.A. Chicago ist eine Stadt der Superlative, immer pulsierend, immer aktiv und voller Energie! Eine Stadt, die nie schlafen geht. Die Vielfalt an Kunst, Unterhaltung und Sport hält jeden in Bann und findet kaum seinesgleichen. Und ganz dem nordamerikanischen Motto getreu: "shop till you drop" ist in Chicaco Shopping eines der beliebtesten Freizeitvergnügen!

Auf einen Nenner gebracht: Chicago ist Großstadtleben pur – nie langweilig, immer interessant; gleichzeitig aber auch erholsam und besinnlich.

Chicago ist nicht nur eine Stadt der Superlative, sondern auch die Stadt wo vieles seine Entstehung hatte: das erste Schaufelrad, das erste Stahlgebäude, die ersten Bifokal-Kontaktlinsen, schokoladenüberzogene Karamelnaschereien (turtles), Knallbonbons und das absolut feuersichere Hotel, Palmer House Hilton. Als erste amerikanische Frau erhielt Jane Addams 1931 den Friedensnobelpreis für die Gründung des Hull Houses im Jahr 1889, das Immigranten in Chicago erste Unterstützung leistete. Die ersten genormten Baseball-

bälle und Schlagkeulen für professionelle Spieler wurden von dem Unternehmer und früheren Baseballspieler Albert G. Spalding hergestellt. Aus Chicago kommt auch die Lebensberatungskolumne "Dear Abby", der Sears Katalog und die "New York Cut" Steaks. Obendrein ist Chicago auch die Stadt, die die ersten Wolkenkratzer baute.

Das Home Insurance Building war der allererste Wolkenkratzer der Welt und wurde 1885 von dem Architekt Major William Le Baron Jenny an der

Typische Ansicht der Innenstadt: hinter dem wunderschönen Wacker Drive Springbrunnen erhebt sich das imposante Wrigley Building; rechts davon der Tribune Tower.

nordöstlichen Ecke von LaSalle und Adams Street errichtet. Es ist inzwischen abgerissen, aber selbst wenn es dort noch stehen würde, hätte es mit den heutigen Wolkenkratzern wenig gemeinsam. Zur damaligen Zeit aber war es mit neun Stockwerken plus Kellergeschoß eine echte Sensation. Eine neue Ära in der Bauindustrie

begann. Mit den ersten Wolkenkratzern veränderte sich rapide die Sozialstruktur der Stadt, plötzlich konnten tausende von Menschen auf verhältnismäßig kleiner konzentrierter Fläche arbeiten und wohnen.

Inzwischen hat sich das Konzept, Hochhäuser als Arbeitsplätze zu nutzen, auch in Chicago bewährt.

Vom Ufer aus gesehen: Sonnenuntergang mit Blick zum Drake Hotel; hier endet die Magnificent Mile, und die Gold Coast (goldene Küste) beginnt.

INFERNO

Am 8. Oktober 1871 vernichtete **der große Chicagoer Brand** fast die gesamte Innenstadt. Über die Ursache des Feuers streiten sich auch heute noch die Gemüter, aber es wird sich wohl nie klären, ob das Feuer im Holzgebiet im westlichen Stadtteil begann oder durch Lady Leary's Kuh, die angeblich eine Kerosinlampe umgestoßen hatte, entfacht wurde. Fest steht, das Haus der Lady Leary war eines der ersten, das den Flammen zum Opfer fiel. Von dort aus fraß sich das Feuer schnell weiter, machte selbst vor dem Fluß nicht halt und dehnte sich unaufhaltsam nach Süden aus. Erst fünfundzwanzig Stunden später zügelte ein leichter Regen das Inferno - dennoch, zwei Tage wütete die Zerstörung. Mindestens dreihundert Menschen verloren ihr Leben und über hunderttausend wurden obdachlos. Der Verlust von zweihundert Million-en Dollar war nieder-

schmetternd: in einem Umkreis von über zehn Quadratkilometern wurden 18 000 Gebäude auf Grund und Boden zerstört.

Doch Chicago war tapfer! Mit dem Motto "Chicago soll sich aus der Asche erheben" machte die Lokalzeitung, The Chicago Tribune, den Menschen Mut zum Wiederaufbau. International renommierte Architekten, unterstützt von namhaften Ingenieuren, kamen mit ihren Talenten und nahmen an der Neugestaltung der Stadt teil. Es muß für alle eine enorme Herausforderung gewesen sein, dazu beizutragen, die Stadt, die ursprünglich nichts weiter als ein Sumpfgebiet war, in eine der avantgardistischsten und reizvollsten Städte Nordamerikas zu verwandeln.

Chicagos Ruf als die Geschäftsstadt wuchs rapide um 1900, und State Street, eine der berühmtesten Straßen weltweit, spielte dabei eine wichtige Rolle. Die Straße läuft von einem Ende der Stadt zum anderen, führt mitten durch die Innenstadt, "The Loop", das wichtigste Finanz- und Wirtschaftsviertel der Stadt. State Street ist durch die vielen interessanten Theater und Sehenswürdigkeiten, die sie säumen, eine regelrechte Touristenattraktion geworden. Hier gibt es das Chicago Theatre, das American Police Center und Police Museum, das Embassy Suites Hotel sowie eine der größten öffentlichen Leihbüchereien der Welt, das Harold Washington Library Center. Darüberhinaus auch den vielbesuchten "Skate on State" Eisring. State Street ist als 'first-class' Einkaufsstraße bekannt und beliebt - traditionsreiche Geschäfte wie Carson Pirie Scott and Company und Marshall Field's and Company sind hier zu finden.

(rechts) Der Chicagoer Brand zerstörte einen Großteil der Stadt. Gottlob – die Kirchenmauern widerstanden dem Feuer. Das Rathaus allerdings brannte bis auf den Grund nieder.

(links) Auf dem Handelsmarkt war immer ein reges Leben. Der Humboldt Park dagegen (oben) bot den Städtlern eine 'grüne' Oase für die Verschnaufspause.

Tolle Restaurants, interessante Geschäfte, wunderschön am Wasser gelegene Clubs, sehenswerte Galerien und unterhaltsame Vergnügungsfahrten sind nur ein Teil von dem, was der North Pier Festival Market zu bieten hat – es gibt viel zu sehen und zu erleben! Von vielen als "Chicagos echtes Ufergelände" anerkannt, liegt dieses Zentrum am Ende der Illinois Street, dort wo sie auf den Lake Shore Drive trifft. Das Bicycle Museum of America (Fahrradmuseum) mit seiner futuristischen Abteilung für Virtual Reality ist hier zuhause, außerdem gibt es Mini-Golf, Musikvorstellungen jeglicher Art und ein hervorragendes Theaterensemble, die North Pier Performing Troupe. Hier kann sich die ganze Familie vergnügen.

Für eine Stadt, die ursprünglich nichts weiter als ein Sumpfgebiet war, bietet Chicago heute eine der schönsten Wasserfronten. Sowohl der Michigansee wie auch der Chicago River sind bezüglich ihres Aussichts- und Freizeitwertes kaum zu überbieten.

Chicagos Gewässer haben eine interessante Geschichte und könnten viel erzählen. Besonders der Chicago River kann so manches berichten, denn er floß ursprünglich in die entgegengesetzte Richtung. Im frühen Chicago war das Abflußsystem so primitiv, daß alle Abwässer direkt oder indirekt durch den Chicago River in den Michigansee flossen, was zu einer entsetzlichen Verschmutzung der Wasserversorgung führte. Tödliche Krankheiten und Seuchen breiteten sich rapide aus. In 1887 entschied Rudolf Hering, oberster Ingieneur des Wasser- und Entsorgungsamtes, daß nur eine fortschrittliche technische Lösung die Situation retten konnte. Und so wurden die Kanalisierungs- und Entwässerungsanlagen durch technische Mammutleistungen total erneuert und der Wasserfluß umgekehrt.

Unbedingt sehenswert ist der ehemalige Frachthafen, der North Pier. Alt und neu vermischen sich hier zu einem hochinteressanten Einkaufszentrum. Außerdem, wie schon erwähnt, finden hier alle, die gerne bummeln und nach Mode oder einem Souvenir Ausschau halten wollen, ein wahres Einkaufsparadies.

Wo ein Fluß ist, sind auch Brücken und Chicago mit ihrem großangelegtem Kanalsystem bildet keine Ausnahme! Sowohl an Michigan Avenue, Kinzie Street, Clark Street und Wabash Avenue kommt der Straßenverkehr zum Stillstand, wenn sich die Brücken erheben um den Schiffen Vorrang zu geben.

Die **Michigan Avenue Bridge**, die sich über den **Chicago River** spannt, kann viel über die Stadt berichten. Die kunstvollen Pylon Skulpturen an den Brückentürmen symbolisieren bedeutungsvolle historische Ereignisse: die erste Entdeckung durch Marquette und Jolliet, die Niederlassung durch du Sable, das Gemetzel von 1812 am Dearborn Fort, sowie der Wiederaufbau nach dem Großen Brand in 1871. Die imposanten Skulpturen von James Earle Fraser und Henry Hering wurden acht Jahre nach Fertigstellung der Brücken den Brückenhäusern zugesetzt.

Der Sonnenaufgang spiegelt sich auf dem Chicago River wider.

Der Fluß bietet ein überwältigendes Panorama.

Die Michigan Avenue Brücke führt geradewegs zu den imposantesten Wolkenkratzern der Stadt. Das **Wrigley-Gebäude**, westlich der Michigan Avenue, ist mit seiner ungewöhnlichen Architektur eines der interessantesten Gebäude. Das Hauptquartier des Wrigley Kaugummikonzerns wurde von demselben Architekturteam entworfen, das auch Chicagos Merchandise Mart und Union Station baute. Es lohnt sich, alle drei zu sehen und die unterschiedlichen Bauweisen zu vergleichen. Eine wissenswerte Anekdote: der südliche Teil des Gebäudes wurde 1921 fertiggestellt; William Wrigley war über das Ergebnis so begeistert, daß er sofort ein zweites Gebäude mit doppelter Nutzfläche in Auftrag gab, dessen Fertigstellung rund drei Jahre dauerte. Genaugenommen ist somit das Wrigley-Gebäude eigentlich zwei!

Die ungewöhnliche Außenfront aus weißem Ton und die imposante Turmuhr machen das Wrigley-Gebäude zu einem berühmten Wahrzeichen der Stadt. Im Wrigley wurden interessante Elemente anderer weltberühmter Gebäude integriert, so wurde z. B. der elegante spanische Renaissance-Stil dem Giralda Turm von Sevillas Escorial nachempfunden.

Die Turmuhr vor dem Wrigley-Gebäude wurde zum Wahrzeichen der Stadt.

Die imposante Skulptur von James Earle Fraser ehrt Chicagos frühe Geschichte und schmückt die Michigan Avenue Brücke über den Chicago Fluß.

So imposant das Wrigley-Gebäude auch ist, es ist durchaus nicht das einzige in Chicago, das großen Eindruck macht. Wer z.B. die zwei "corncobs", symbolisch "Maiskolben" genannt, einmal gesehen hat, wird diese runden Gebäude mit ihren ungewöhnlichen Apartments so schnell nicht vergessen. Sie liegen an der 300 North State und sind Teil der **Marina City**. An der Nordseite des Chicago River gelegen, war dieses eine gefragte Adresse in den 60ziger Jahren. Mit ihren 62 Stockwerken sind sie nicht nur die höchsten Betongebäude, sondern auch heute wieder eine der exklusivsten Wohnadressen! Ungewöhnlich und sehr kreativ ist der keilförmige Grundriß der Apartments. Darüberhinaus bietet der Komplex mit seinen vielen Büros, Restaurants, der achtzehn Stockwerke hohen Parkgarage, den Theatern, dem Eisring, den Wassersportanlagen und dem Segelhafen alle mögliche Gelegenheit für einen interessanten, aktiven Lebensstil.

Ohne Frage geben die "Maiskolben" einen faszinierenden Hintergrund für die berühmte Bronzestatue von **George Washington** und seinen Förderern, Robert Morris und Hyam Salomon.

Nicht weniger sensationell ist der **Chicago Tribune Tower**, 1925 im gotischen Stil gebaut. Authentische Teile der Westminster Abbey, der großen Pyramiden und der Taj Mahal wurden integriert. Verständlich, daß dieses außergewöhnliche Design in einem damaligen Wettbewerb den ersten Preis erhielt.

George Washington, in Bronze verewigt, applaudiert seinen finanziellen Förderern der Amerikanischen Revolution, Robert Morris und Hyam Salomon. Diese Statue, heute als das offizielle Wahrzeichen der Stadt anerkannt, wurde Chicago in 1941 von einer Delegation von Bürgerrechtlern vermacht, die den Künstler Lorado Taft beauftragt hatte, ein Ehrenmal für die Patrioten zu schaffen. Leider war es Taft nicht vergönnt, die Errichtung seines Werkes am Herald Square mitzuerleben. Er starb frühzeitig, und es blieb seinem Partner, Leonard Crunelle, überlassen, die Skulptur fertigzustellen.

Im Hintergrund sind die berühmten "Maiskolben" der Marina City zu sehen, zwei exklusive Apartment-Wolkenkratzer. Jedes dieser sechzig Stockwerke hat einen runden Innenflur mit spitzzulaufenden Apartments und halbrunden Balkons – wer dieses Design sieht, wird verstehen, warum sie zu den kreativsten und begehrtesten Wohnungen der Stadt gehören. Das Zentrum der unteren Etagen ist als Parkgarage ausgebaut, die von einem interessanten Shoppingkomplex sowie Freizeitanlagen umgeben ist.

Der Tribune Tower.

"Monument with Standing Beast" von Jean Dubuffet steht beim Eingang des James R. Thompson Centers.

James R. Thompson Center: Innenansicht.

ARCHITEKTUR

A rchitektonisch gesehen ist Chicago besonders reizvoll
und kontrastreich. Schon ein Blick über das
Stadtpanorama bestätigt die Vielfalt der unterschiedlichen Baustile. Da gibt es reich verzierte Eleganz oder
schlichte Unauffälligkeit. Jeder Stil scheint vorhanden zu
sein. Die Architektur repräsentiert den Wunsch der
selbstbewußten Bewohner Chicagos, Traditionelles zu
erhalten und dennoch Modernem gegenüber auf-
geschlossen zu sein.

Nehmen wir z.B. das **James R. Thompson Center**
(vormals das State of Illinois Center). 1985 nannte
Governor James Thompson es "das erste Gebäude des 21.
Jahrhunderts". Es ist ein umstrittener Komplex, von
ebenso vielen geliebt wie gehaßt! Dennoch sind sich
beide Seiten einig: das Zentrum ist denkbar ungewöhnlich. Der Innenraum ist transparent, so daß man bis zum
Himmel schauen kann. Wer will, kann mit dem
Glasfahrstuhl nach oben fahren, um von dort aus auf das
supermoderne Innenleben runterzuschauen. Im krassen
Gegensatz dazu steht die im traditionellen Stil erbaute
Merchandise Mart. 1930 fertiggestellt, zählt es zu den
größten Handelszentren der Welt.

*Die Merchandise Mart, ein internationales Handelszentrum,
erstreckt sich über zwei ganze Straßenblocks und hat über
12 km Nutzfläche.*

SEARS TOWER

Um die volle Schönheit von Chicago zu genießen, gibt es einfach keine bessere Aussicht als vom **Sears Tower**, dem höchsten Gebäude der Welt. Fahren Sie mit dem schnellsten Fahrstuhl auf das Skydeck, der Aussichtsplattform im 103ten Stock in 412 Meter Höhe. Von hier aus können Sie die ganze Stadt überblicken – bei klarer Sicht fast 100 Kilometer weit.

Der Sears Tower ist mit 110 Stockwerken 443 Meter hoch und hat eine Grundfläche von rund 12 000 Quadratmetern. 76 000 Tonnen Stahl wurden hier verarbeitet, sowie 16 000 bronzegetönte Fenster installiert. Seine Fertigstellung dauerte rund drei Jahre. Das siebzehn Meter hohe Glasatrium, ein Shopping Center und sieben Restaurants wurden 1985 bei einer multi-millionen-teuren Renovierung hinzugefügt.

Seit über einem Jahrhundert fahren die Hochbahnen auf dem "Loop". "The Loop" liegt mitten im Herzen der Innenstadt, in dem auch das traditionsreiche, wohletablierte Handels- und Bankwesen zuhause ist.

Entworfen von Louis H. Sullivan und gebaut an der "belebtesten Ecke der Welt", Madison und State Street, steht das Carson Pirie Scott & Co. Kaufhaus. Als ob der Architekt ahnte, daß dies sein letzter Auftrag sein würde, vereinigen sich hier all seine kreativen Elemente. Selbst in Architekturkreisen wird dieses bombastische Gebäude als eines der schönsten in Amerika bezeichnet. Reichlich mit gußeisenen Verzierungen geschmückt, macht es auf jeden Besucher einen erhabenen Eindruck.

(gegenüber) 333 Wacker Drive, entworfen von William Pedersen und in den 80ziger Jahren fertiggestellt, symbolisiert durch das geschwungene Design in mehrfacher Weise das kurvige Ufer des Chicago Rivers. Die glitzernde Spiegelfront reflektiert das Wasser, den Himmel und die umliegenden Gebäude im sich ständig änderndem Licht. Im Gegensatz zu anderen Gebäuden, braucht es nicht die Höhe um Eindruck zu machen, sondern die Spiegel mit ihrem ständig wechselndem Spiel der Reflektionen sind eine Faszination ohnegleichen.

JOHN HANCOCK CENTER

Wenn Ihnen der Sinn nicht nach der allerhöchsten Aussicht vom Sears Tower ist, entscheiden Sie sich für das **John Hancock Center**. Mit einer Höhe von 344 Metern (ohne Fernsehantenne) ist es immerhin der fünfhöchste Wolkenkratzer Chicagos. Die Aussichtsplattform, 94ste Etage und rund 320 Meter über dem Straßengewimmel, bietet ebenfalls bei schönem Wetter eine rund 100 km weite Sicht.

Das vornehme, spitz zulaufende John Hancock Center mit der ungewöhnlichen X-Kreuzform ist ein gekonnter Kompromiß zwischen Technik und Design. Die sich überkreuzenden Streben geben bei stürmischen Wetter extra Stabilität, gleichzeitig aber auch den typisch futuristischen Look.

Vom John Hanock Center aus können Sie bequem den **Water Tower** erreichen. Der Wasserturm ist eines der wenigen Gebäude, das den großen Brand von 1871 überstanden hat. Sein Anziehungspunkt ist die über elf Meter lange Rohrleitung, die ursprünglich den Wasserdruck der Pumpstation ausglich. Heute sind beide Gebäude, der Wasserturm sowie die Pumpstation, Hauptsitz der Chicagoer Touristenzentrale.

Frisch gefallener Schnee verwandelt Chicago in ein Bild der Ruhe.

Rechnen Sie im Winter mit klirrender Kälte und blizzardähnlichen Schneestürmen, doch lassen Sie sich deswegen nicht von einem Besuch in den Wintermonaten abhalten, denn weder Schnee noch Kälte können den kulturellen Ereignissen noch den Sehenswürdigkeiten Chicagos den Zauber nehmen. Außerdem kann der Winter ebensogut mit milderen Temperaturen aufwarten.

Den Rekord der niedrigsten Temperaturen hält der 20. Januar 1985 mit 27 Grad minus. Der kälteste Winter war 1976/77 – dreiundvierzig Tage lang hatte Chicago ununterbrochen mit Minustemperaturen zu kämpfen. Nur zwei Jahre später, 1978/79, kam der schneereichste Winter; innerhalb von nur drei Monaten fielen knapp 230 cm Schnee. Der meiste Schnee während eines einzelnen Schneesturms fiel 1967. In rund 24 Stunden wurde die Stadt mit 58 cm Schnee zugedeckt und für mehrere Tage lahmgelegt.

Wer zur Weihnachtszeit kommt, wird von einem glitzernden Lichtermeer und zauberhaften Weihnachtsdekorationen begrüßt. Insbesondere die kilometerlange Magnificent Mile und die State Street Mall sind wegen ihrer außergewöhnlich schönen weihnachtlichen Stimmung beliebt. Hier macht es richtig Spaß, an Weihnachtseinkäufe zu denken.

Welche Saison Sie auch wählen, Chicago bietet zu jeder Zeit viel Interessantes und Sehenswertes. Dennoch sind sich Touristen wie Einheimische einig: gerade zur Weihnachtszeit hat Chicago einen ganz besonderen Reiz – selbst Weltenbummlern wird's da warm ums Herz.

SONNE UND STRAND

Hätten Sie gedacht, daß Chicago so viel Strand hat? Jeden Sommer genießen tausende von Urlaubern Stadt, Sonne und Strand.

Chicagos oft geschätzte Lebensqualität hat viel mit dem Michigansee und seinen schönen Ufern zu tun. Hier macht der Strand vor den Menschen nicht halt – er ist für alle offen. Die kilometerlangen Fuß- und Fahrradwege erlauben überall kostenlosen Zugang und einen herrlichen Blick auf die schönen Uferanlagen. Wer Einsamkeit und Ruhe sucht, kommt hierher, um sich zu entspannen und zu erholen. Die Chicagoer Parkbehörde unterhält mehr als dreißig Badestrände – davon insgesamt über 30 Kilometer herrlichen Sandstrand, der von reizvollen Steinbuchten unterbrochen wird. Wen wundert's da, daß Grund und Boden rund um den See heißbegehrt und teuer sind.

Die Schwimmsaison ist von Mitte Juni bis Anfang September. Fast alle Strandgebiete haben Umkleide-

Lake Shore Drive ist eine der schönsten Straßen in Chicago, die sich kilometerweit am Ufer entlang windet. Daß die Ufergelände mit Parks und Freizeitgelände für das Publikum erhalten geblieben sind, und nicht durch Hafenanlagen, Warenlager oder Fabriken verschandelt wurden, hat Chicago einer fähigen Stadtverwaltung zu verdanken. Die Stadt ersetzte auch die unbeliebte S-Kurve mit sanfteren Straßenbiegungen. Bauarbeiten begannen 1982, im Oktober 1985 wurde die Strecke in nördlicher Richtung freigegeben, im November 1986 die in südlicher Richtung. Kostenpunkt: rund 98 Millionen Dollar.

Man kann davon ausgehen, daß von den rund 12 Millionen Besuchern, die jedes Jahr nach Chicago kommen, alle in irgendeiner Weise den Michigansee sehen und genießen. Durch die St.-Lawrence-Seewegverbindung vom Michigansee zum Atlantik gehört Chicago zu einer der großen internationalen Hafenstädte. Der See ist so unvorstellbar groß, daß er in jeder Hinsicht als Meer empfunden und auch genutzt wird. Da gibt es Kaianlagen und Molen zum Fischen, über dreißig Badestrände, Tische für Schachbretter sowie kilometerlange Wanderwege. Viele Bootsstege bieten Liegeplätze für Segel- und Motorboote. Für alle, die selber kein Boot besitzen oder mieten möchten, werden herrliche Bootstouren und Vergnügungsfahrten angeboten.

North Beach ist bekannt und beliebt. Die berühmte Air-and-Water-Show, die hier jedes Jahr stattfindet, zieht mindestens zwei Millionen Zuschauer an. Die Show ist kostenlos und die älteste und größte Luft- und Wasserausstellung der U.S.A.

kabinen und sind während der Hochsaison mit Lebensrettungspersonal besetzt.

Die Oak Street Beach gilt als der beliebteste Strand, besonders dort, wo die gekurvten Ufer ein eher unberührtes Naturbild schaffen. Südlich der Strandanlagen bilden Wellenbrecher eine herrliche Promenade. Oft treffen sich hier bei Tagesanbruch die späten Nachtschwärmer mit den frühen Aufstehern.

North Avenue Beach hat sich als Familienfavorit entwickelt, und weiter unten am südlichen Ende sorgen Volleyballplätze für sportlichen Ausgleich. Die vielen Strände sind ideal für ein bißchen wohldosiertes Fliehen von dem Großstadtbeton.

Schwimmen, Sonne, Segeln – wer immer eine wohlverdiente Erholung wünscht, bekommt hier schnell ein Gefühl von permanentem Urlaub.

Im meist ausverkauften Skyline Stage am Navy Pier genießen Besucher unvergeßliche Aufführungen. Atemberaubend schönes Panorama ist im Preis mit inbegriffen!

Navy Pier

Obwohl Navy Pier eine moderne und aufregende Attraktion ist, hat der Pier auch eine ereignisreiche Vergangenheit. Er wurde 1916 als größter Bau seiner Art eröffnet, und war der einzige Pier, auf dem es Geschäftsbetriebe neben Vergnügungsstätten gab. Seit damals ist Navy Pier, der diesen Namen 1927 erhielt um die Marineinfanterie, welche im 1. Weltkrieg diente, zu huldigen, Gastgeber zahlreicher Veranstaltungen und Sitz vieler Organisationen gewesen. Mit einer Vergangenheit, zu der die Beherbergung von mehreren Gruppen im 1. Weltkrieg, die Entwicklung zu einer Einrichtung der University of Illinois, die Gastgeberschaft des ersten Holiday Folk Festival der Stadt, und die Rolle als Zentrum für Kongresse und Handelsmessen zählt, wurde Navy Pier 1977 als eines der Wahrzeichen Chicagos bestimmt.

Heute, nach einem $ 50 Millionen Sanierungsprojekt in 1994, gibt es am Navy Pier Einkaufspromenaden, Restaurants, drinnen und draußen angelegte Gärten, ein Kongreßzentrum, ein IMAX Kino, Live Theater und einen Familienpavillon, in dem das Chicago Children's Museum, ein Vergnügungspark und noch viel mehr beherbergt sind. Navy Pier ist eine 20 ha große Anlage mit vielen verschiedenen Attraktionen und dient weiterhin als Hafen.

The Carousel, beim Riesenrad, ist ein erstklassiges und lustiges Erlebnis während eines Tages am Navy Pier.

Navy Pier beheimatet das erste Riesenrad der Welt. Es wurde zum ersten Mal in der 1893 Colombian Exposition vorgesteilt. Dieser alte Liebling besitzt 40 Gondeln und ist 15 Etagen hoch — von hier oben aus bietet sich ein großartiger Blick auf die Stadtsilhouette.

Navy Pier ist ein Wahrzeichen von Weltklasse, und eine Attraktion mit genug Auswahl an Speisen, Unterhaltung und Einkaufen, um jedem Geschmack gerecht zu werden.

Im Winter kann man am Navy Pier viel unternehmen. Dazu gehört auch ein Besuch der tollen Crystal Gardens — ein 3.000 m² großer, innen angelegter botanischer Garten. Diese Gartenanlage befindet sich in einem Glashaus, und ist wie ein Tag in den Tropen.

The Chicago Children's Museum wurde spezifisch für kleine Kinder entworfen. Hier gibt es viel zum Sehen, Machen und Anfassen.

31

SHOPPING

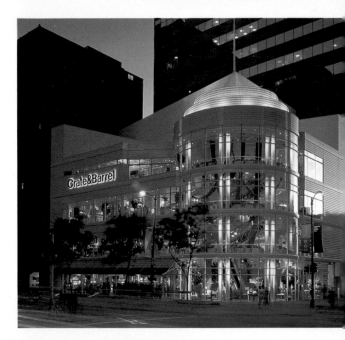

Wer gern durch Geschäfte bummelt, wird von "**Magnificent Mile**" magnetisch angezogen werden. Hier weiß man, was "first class" bedeutet. Die Glanzwelt des Konsums spiegelt sich in mondänen Boutiquen, außergewöhnlichen Spezialgeschäften und Shopping Malls bestens wider.

Als Magnificent Mile gilt die kilometerlange Strecke von Nummer 400 bis 1000 North Michigan Avenue. Dazu gehört auch der **Water Tower Place** und die 900 North Michigan Avenue – beides Atrium Shopping Malls mit insgesamt 180 Shops und Boutiquen. Weiter geht's mit **Chicago Place** mit über 80 Geschäften und Michigan Avenue mit weltberühmten Spezial- und Designershops wie **Nike Town**, Gucci, Tiffany und **Crate & Barrel**. Chicago beweist, daß Shopping auch mit ein bißchen Geschichte verbunden sein kann. Marshall Field's & Co. und Carson Pirie Scott in State Street gehören zu den traditionellen Kaufhäusern, die ihre alte Pracht bis heute erhalten haben.

(oben) Teils Theater, teils Basketballstadion, teils Museum - Nike Town Chicago ehrt Sport und Kultur.

(oben links) Crate & Barrel - ein Traum aus Glas. Ausgefallenes fürs heimische Wohlbefinden.

(unten rechts) Chicago Place - 80 Stockwerke hoch - ist einen Besuchstag wert. Nobelboutiquen mit Schickeria-Bistros sind im oberen Stock. Blick auf die Stadt gibt's gratis!

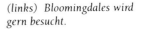

(links) Bloomingdales wird gern besucht.

(mitte) Eine der berühmten Uhren von Marshall Field's.

Water Tower Place, das erste Einkaufszenturm mit vielseitigen Nutzungsmöglichkeiten, ist heute ein attraktives Shopping Zentrum mit zwei der renommiertesten Warenhäusern, Marschall Field's und Lord & Taylor. Außerdem gibt es mehr als 125 Boutiquen, Spezial- und Fachgeschäfte. Zu den bekanntesten und beliebtesten zählen Nobelgeschäfte wie Armani Exchange, August Woman, Banana Republic, Disney Store, Lane Bryant und Saks Fifth Avenue. Der Water Tower hat außerdem acht Restaurants und sieben Kinos. Ein besonderes Erlebnis ist die Fahrt nach oben – der rundum verglaste Fahrstuhl erhebt sich langsam und erlaubt einen freien Blick auf das viele Grün im Atrium.

Sieben der 74 Etagen sind dem Einzelhandel gewidmet, der 1975 seine Türen öffnete. Der Rest beherbergt Büros, ein Hotel sowie Eigentumswohnungen.

33

Das Sheraton Chicago Hotel und Towers sind mit Sicherheit durch die zentrale Lage auf der E. North Water Street und der herrlichen Aussicht auf die Stadt, den Michigansee und den Chicago River, die meist begehrtesten Hotels.

Das Chicago Marriott liegt direkt in der Stadtmitte an der Magnificent Mile. Es hat 46 Etagen, 1 172 Zimmer, 28 Apartments und alle Annehmlichkeiten, die sich ein Reisender nur wünschen kann, einschließlich zwei fantastische Restaurants. Außerdem sind die besten Geschäftsviertel leicht zu Fuß zu erreichen.

HOTELS

Hotelreservierungen sind eigentlich immer zu empfehlen. Als berühmteste Tagungs- und Konferenzstadt der Welt hat Chicago nun mal keine Nebensaison, irgendwo wird immer getagt und konferiert – ob nun im weltgrößten Tagungszentrum, dem McCormick Place, oder in Flughafennähe. Faustregel: für Geschäftsbesucher ist ein Hotel in Flughafennähe angebracht; um aber das "richtige" Chicago zu sehen, kann man ruhig die preisgünstigeren Hotels und Pensionen südwestlich wählen.

Geschäftsreisende, die mitten im Stadtkern buchen, haben die Businesswelt in unmittelbarer Nähe. Von La Salle Street ist der Finanzdistrikt mit Börse und vielen internationalen Finanzinstituten und -organisationen sozusagen um die Ecke gelegen. Außerdem sind die interessantesten Touristenattraktionen nur ein paar Gehminuten entfernt. Wer sich für Shopping und Schlemmerrestaurants interessiert, wird sich vielleicht in einem der Near North Hotels an der Michigan Avenue Magnificent Mile niederlassen. Wie immer Sie sich auch entscheiden, Chicagos überwältigende Aussichten und Ansichten sind von jedem Hotel leicht erreichbar. Beruhigend zu wissen: jedes Budget findet sein Bett.

Eines der edelsten Hotels: Chicago Hilton und Towers.

The Hyatt in der Printers Row.

In den wilden zwanziger Jahren erbaut: das berühmte Palmer House.

Marc Chagall: "The Four Seasons" Mosaik.

Alexander Calder: "Universe".

Kunst im Freien: Skulpturen.

KUNST

Als Bürgermeister Richard J. Daley 1967 die Förderung der Kunst mit einem echten **Picasso** anregte, begann eine kulturelle Bewegung. Künstler wurden ermutigt, Chicago in eine "öffentliche" Kunstgalerie zu verwandeln.

Der amerikanische Bildhauer Alexander Calders, der sich durch seine beweglichen Metallplastiken einen Namen machte und auch für das UNESCO-Gebäude in Paris ein Mobile baute, gibt dem Foyer des Sears Towers durch sein dynamisches **"Universe"** ein grandioses Aussehen. Eines seiner vielen Werke, **"Flamingo"**, steht im starken Kontrast zur der abstrakten Stahl-und-Glas Kreation des weltberühmten Architekten Mies van der Rohe. Marc Chagall, der zwischen 1941 und 1947 in den U.S.A. lebte, schaffte mit seiner monumentalen Keramik-

und Glasarbeit **"The Four Seasons"** ein Werk, daß seine Empfindungen über die vier Jahreszeiten in Chicago widerspiegelt.

Von den vielen freistehenden Skulpturen zieht "Chicago Picasso", wie sie generell genannt wird, die meisten Besucher an. Die Geschichte der Entstehung ist ganz einfach: Picasso wurde darum gebeten! Mit der Idee, solch ein großartiges Monument für Chicago zu schaffen, hatte sich Picasso schon eine ganze Weile befaßt. Im Mai 1965 war ein Entwurf fertig. Vier ganze Jahre dauerte dann die Fertigung und Installation. Er lehnte jegliches Honorar ab, sondern zog es vor, Entwurf und Design der Stadt als "Geschenk für die Bürger von Chicago" zu vermachen.

(oben links)
"Flamingo" von Calder.

(oben rechts) Ein echter Picasso.

(mitte) "Suspension" von
Richard Hull.

(unten) Louise Nevelsons
Holz- und Keramikskulptur
"Dawn Shadows".

(rechts) Manet.

(unten links) Seurat.

(unten rechts) Renoir.

Das Art Institute of Chicago bietet eine der größten Sammlungen des Impressionismus und des Neoimpressionismus, auch Pointillismus genannt. Die Galerie entwickelte sich aus einer 1879 gegründeten Kunstschule. Zwei mächtige Löwen bewachen den Eingang. Bewundern sie vierzig Jahrhunderte der Kunst in einem der größten und bedeutungsvollsten Museen der Welt. Im Art Institute of Chicago sind berühmte Gemälde des 14ten Jahrhunderts bis zur Gegenwart ausgestellt. Sehen Sie auf jeden Fall die kunstvollen Arbeiten, Gemälde und Zeichnungen fremder Kulturgruppen und Kunstrichtungen.

Das Museum of Science and Industry lädt ein zum Mitmachen. Entdecken Sie alte und moderne Technologien.

MUSEEN

Chicago hat eine Reihe von Museen, die sich mit Kunst, Wissenschaft, Naturwissenschaft, Geschichte und Kultur befassen. Das **Art Institute of Chicago**, das Field Museum of Natural History sowie das **Museum of Science and Industry** zählen zu den berühmtesten des Kontinents.

Das Kunstmuseum, flankiert von zwei imposanten Löwenskulpturen, besitzt eine international geschätzte

Kollektion des Impressionismus und Neoimpressionismus. Das Field Museum für Naturwissenschaft bietet einmalige und ungewöhnliche Ausstellungen über die Entwicklung der Erde und der Menschheitsgeschichte. Darunter befinden sich auch Nachbildungen erstaunlicher Kulturgüter der Indianerstämme sowie die großartige Eingangshalle einer ägyptischen Grabstätte. Die Entstehung des Universiums wird interessant und verständlich im Field Museum dargestellt, wo viele Ausstellungen und Demonstrationen zum Experimentieren einladen. Auch das Museum of Science and Industry lädt zum aktiven Mitmachen ein. Hier macht Lernen Spaß.

Der Eintritt ist generell kostenlos. Selbst dort, wo eine Gebühr verlangt wird, gibt es meistens einmal in der Woche einen "no admission" Tag, an dem der Eintritt kostenlos ist.

Verkehrsausstellung im Innenhof des Museum of Science and Industry: die Boeing 727 der United Airlines; Buchanan's Lokomotive No. 999; das Auto "Spirit of America" und das Flugzeug #13 "Mystery Ship" aus Texas.

Das John G. Shedd Aquarium ist mit über achttausend See- und Meerestieren das größte Hallenaquarium der Welt.

Seltenes Erlebnis: ein Zoowärter geht tauchen, um die Aquarien- und Terrarientiere im Korallenriff zu füttern. Die Wunderwelt des Meeres mit seiner seltenen Fauna und Flora.

Zu den seltenen Sehenswürdigkeiten in der
Stanley Field Hall des Field Museum gehören:
der Brachiosaurus, Afrikanische Kampfelefanten,
zwei Totempole von der Nordwestküste Amerikas
sowie ein Globus, der die Erde topographisch
vieldimensional darstellt.

Seit seiner Erbauung im Jahr 1930 ist das **Adler Planetarium** eines der begehrtesten Sehenswürdigkeiten der Stadt. Regenbogengranit bildet die außergewöhnliche 12-eckige Struktur des graphitbedeckten Kupferdaches. Die fast vier Meter hohe Sonnenuhr, ein sekundengenauer Zeitmesser, wurde 1980 dem Eingang hinzugefügt.

Nicht nur die Außenfront des Planetariums ist ungewöhnlich. Der Innensaal verschlägt einem quasi den Atmen – man ist überwältigt von der realistischen Darstellung des Sternenhimmels. Es ist, als ob man in das Weltall versetzt wird. Das Universum, 20 Milliarden Jahre alt und 40 Milliarden Lichtjahre tief, zeigt naheliegende Planeten, gigantische Sterne, Galaxien und die Milchstraße. Die Adler-Ausstellung erstreckt sich über drei Etagen, und auf jeder fühlt man sich "mitten im Himmel". Für alle, die sich für Astronomie, Weltraumforschung, Teleskopie und Navigation interessieren, wird dies ein unvergeßlicher Besuch sein.

Das **Chicago Children's Museum** versetzt jung und alt, groß und klein, in die Welt der Kinder – fühlen, berühren, greifen, anfassen ist erlaubt und wer will, kann selber tätig werden. Ausstellungen wie "The Stinky Truth About Garbage" befaßt sich mit der Müllbelastung unserer Umwelt, der "Wheelchair Skill Course" ermöglicht, eigenhändig Erfahrungen mit dem Rollstuhl zu machen. In "The Art and Science of Bubbles" dreht sich alles um Luft- und Seifenblasen, und in der "Grandparents Exhibit" sind Oma und Opa Mittelpunkt.

*Chicago Children's Museum: Anfassen,
Mitmachen – alles wird zum Kinderspiel.*

(oben) Im Grant Park sind viele Konzerte zu hören. Außerdem finden regelmäßig Blues-, Jazz- und Gospelfestspiele statt.

(links) Lincoln Park hat die schönsten Blumen- und Pflanzenausstellungen.

(rechts) Ulysses S. Grant, Kriegsheld des amerikanischen Zivilkrieges, überblickt den Lincoln Park.

PARKANLAGEN

"Urbis in Horto" oder auch "City in a Garden" nennt sich Chicago und das mit Recht! Mit über zweieinhalbtausend Hektar Parkanlagen grünt und blüht es überall. Chicago im Grünen lädt zur Verschnaufpause ein. Dank einer starken Umweltschutzbewegung sind die Ufergelände geschützt, an den über dreißig kilometerlangen Ufergeländen werden Parks, Bade- und Sonnenstrände mit viel Sorgfalt und Liebe für das Publikum erhalten und gepflegt.

1968 ging **Grant Park** mit Krawallen und Aufständen durch die Presse. Die Jugend demonstrierte gegen den Vietnam Krieg, es kam zu Ausschreitungen und Gewalttaten, und übereilig gab Bürgermeister Daley den Schießbefehl. Später ergaben Untersuchungen, daß nicht die Protestanten das Chaos herausgefordert hatten, sondern die drastische Reaktion der Polizei.

Inzwischen ist der Grant Park wieder so friedlich wie eh und je. Einen Grund hierherzukommen, findet sich immer!

ZOOLOGISCHE GÄRTEN

Entfliehen Sie dem Stadtleben, die vielen Zoos von Chicago führen Sie in das Geheimnis der Tierwelt. Der **Brookfield Zoo** ist bekannt durch sein naturgetreues Gelände und hat sich durch Züchtungen von vom Aussterben bedrohter Tiere weltweit einen Namen gemacht. "Habitat Africa!" und "The Fragile Kingdom" gehören zu den vierundzwanzig Freilandgehegen. Der **Lincoln Park Zoo** ist dagegen auf die Erhal-

tung von vom Aussterben bedrohter Tiere spezialisiert, von denen es hier allein siebenunddreißig verschiedene Arten gibt.

Der Japanese Garden im Jackson Park strahlt Ruhe und Besonnenheit aus. Er wurde anläßlich der Weltausstellung im Jahr 1893 von der japanischen Regierung in Auftrag gegeben, um den Besuchern eine grüne Oase zu bieten.

SPORT

Sportfans kommen in Chicago voll auf ihre Kosten – die Sportskommission unterhält hunderte von Tennis-, Golf- und Sportplätzen, ganz zu schweigen von den Jogging- und Fahrradwegen, die sich kilometerlang am Ufer erstrecken. Die Schwimm- und Segelmöglichkeiten im Michigansee werden im Sommer reichlich genutzt, und im Winter verwandelt sich das Seeufer in ein Schlittschuhparadies. Der interessant gelegene **Illinois Center Golfplatz** liegt mitten in der Stadt, und am **Arlington International Racecourse** findet jedes Jahr das "Arlington Million" Rennen statt.

Die Chicago Bears spielen seit 1924, dem Eröffnungsjahr, im Soldier Field. In diesem Stadion fanden 1994 die Fußball-Weltmeisterschaften statt. Soldier Field, zu Ehren der Kriegsgefallenen erbaut, hat eine Sitzkapazität von 66 950, einen echten Spielrasen und bietet auch, je nach Sitzplatz, eine fantastische Aussicht auf die Wolkenkratzer-Szene.

AMERICAN FOOTBALL – THE BEARS

American Football ist mit deutschem Fußball nicht zu vergleichen. Als Abart des Rugby ist es erlaubt, den nicht im Ballbesitz befindlichen Gegner einzeln und in Gruppen anzugreifen und aktiv vom Kampf auszuschalten.

Typisch ist das "body-check" (rempeln). Meist sehr wild und ungezähmt gespielt, tragen die Spieler Sturzhelme und Körperschutz. Echte Sportfans sollten unbedingt ein Spiel im Soldier Field, dem Vereinssportplatz, miterleben.

Die Chicago Blackhawks spielen seit 1994 im United Center.

EISHOCKEY – THE BLACKHAWKS

Von September bis Dezember sind Eishockey Fans vom Fernsehen nicht wegzubekommen. Alles dreht sich um Hockey und den Stanley Cup, den nordamerikanischen Meisterschaften. Die **Chicago Blackhawks** haben schon dreimal diese begehrte Trophie gewonnen. Seit 1994 spielen die Blackhawks im **United Center**. Einige der Mannschaftsmitglieder sind in der " Hockey Hall of Fame" geehrt.

THE CHICAGO BULLS

Die Chicago Bulls Basketballmannschaft wurde 1966 gegründet. In mehr als 30 Spielzeiten haben die Bulls ungefähr 159.000 mal getroffen. Ihre Saison geht von Oktober bis April, und sie spielen im United Center, 1901 West Madison Street. Michael Jordan, das berühmte Mitglied der Chicago Bulls, der die Nummer 23 trägt, machte Geschichte in der Sportwelt, als er am 19. März 1995 den vorzeitigen Ruhestand verließ. Er gilt als wahres Naturtalent und zählt zu den besten Athleten der amerikanischen Sportszene. Das Firmenemblem der Bulls und die legendäre Nummer 23 sieht man auf Hüten, T-Shirts und Jacken rund um die Welt.

Michael Jordan und die Chicago Bulls sind jedes Jahr von Oktober bis April eine sehr beliebte Attraktion. Bis zu 23.000 Fans füllen das United Center und erleben dort Basketball in Aktion sowie Werbung und Unterhaltung während des Spiels.

Michael Jordan wurde außerhalb des United Center durch eine Statue verewigt. Drinnen feuern Fans diesen 1,95 m großen Spieler an, der schon zu Lebzeiten eine Legende geworden ist.

Wrigley Field.

Baseball – The Cubs und White Sox

Baseball ist besonders in den U.S.A. ein beliebtes und verbreitetes Schlagballspiel. Chicago hat das Glück, gleich zwei professionelle Mannschaften zu haben: die Chicago Cubs, die im **Wrigley Field** spielen und die Chicago White Sox, die im **New Comiskey Park** ihren Verein haben. Im Jahr 1914 eröffnet, ist Wrigley Field eines der ältesten Baseballstadionen Amerikas, das viele der bedeutesten Spiele und Spieler gesehen hat. Die

White Sox wurden 1900 gegründet, gewannen 1906 und 1917 die "World Series" Meisterschaften und gingen sowohl 1983 als auch 1993 als Sieger der Western Division hervor.

Die Baseball Saison beginnt in der ersten Aprilwoche des Jahres und endet Anfang Oktober.

New Comiskey Park.

Freizeitgestaltung im Sommer: Spiel und Spaß gehören dazu.

UNTERHALTUNG & VERGNÜGEN

Wie es Euch gefällt – Chicago bietet Spaß und Unterhaltung jeglicher Art. Neben erstklassigen Jazz- und Bluesclubs, sind eigentlich alle Musikrichtungen vertreten, von volkstümlich bis klassisch.

Um Chicago so richtig zu entdecken und zu erleben, machen Sie am besten einen ausgedehnten Spaziergang. Schlendern Sie durch die Straßen, lauschen Sie den Einheimischen zu und probieren Sie die jeweilige Küche. "The Loop" werden Sie sich mit Sicherheit ansehen, doch wie wär's außerdem mit dem nur wenige Gehminuten entfernten "Heart of Italy"? Besuchen Sie eines der vielen typisch italienischen Restaurants; die authentische Küche könnte selbst in Italien nicht italienischer sein.

Old Town, bekannt durch das Stehgreif-Theater "The Second City", rühmt sich eine der besten und ältesten Sommerkunstfeste in der U.S.A. zu beherbergen. Lincoln Park bietet herrliche Einkaufsmöglichkeiten und Restaurants, und entlang der Clark Street und Lincoln Avenue werden Konzerte aller Art "live" geboten. Außerdem finden sie hier auch Wrigley Field, in dem die Chicago Cubs zuhause sind.

Printer's Row und Burnham Park ist ein Muß für alle, die sich an Architektur nicht sattsehen können. In diesem Stadtteil gibt es wunderschön restaurierte Gebäude, Jazz- und Blues Clubs, Stöberläden, Buchläden und Kunstgalerien aller Art.

Dem italienischen Einfluß hat die Stadt die "deep dish" Pizza, eine extra-extra dicke Pizza zu verdanken. Lassen sie sich auch die Barbecue Rippchen schmecken.

Auf den Geschmack kommen sie auf jeden Fall beim "Taste of Chicago". Organisiert von den besten örtlichen Restaurants, findet es jedes Jahr in der ersten Juliwoche im Grant Park an der Lakefront statt und gilt als eines der vorbildlichsten Schlemmerfeste.

Neben "Taste of Chicago" finden im Grant Park jeden Sommer die unterschiedlichsten Musik- und Unterhaltungsvorführungen statt. Da gibt es z.B. das berühmte Chicago Blues Festival und, mit dem längsten Spielplan, das bekannte Jazz Festival.

(oben) Heißer Tip: Das Hard Rock Cafe bietet Rockmusik, typisch amerikanische Leckereien und so manche Souvenirs großer Stars (rechts).

(mitte) Durst aufs Bier - Lust aufs Spiel: Green Door Tavern bietet beides.

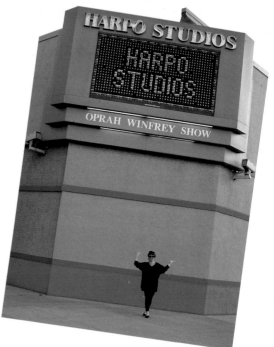

The Annual Taste of Chicago findet im Juli/August zwei Wochen
lang statt. Unmengen neugieriger und hungriger Besucher werden von
Lebensmittelproben, Vorstellungen und Verkaufsständen angezogen.

(unten links) Die vielen, tollen Restaurants werden in Chigaco gern besucht.

(unten rechts) Vom Harpo Studio wird die Oprah Winfrey TV-Show ausgestrahlt.

THEATER

In Chicago gilt das Motto: "See it first. See it best! See it in Chicago!", was etwa soviel bedeutet wie "dabei sein ist alles". Die meisten Theatergruppen Nordamerikas sind eigenständige Unternehmen, die ein Theater für eine Inszenierung für eine bestimmte Zeit mieten. Da Eintrittspreise die Kosten nicht decken, sind die Ensembles auf großzügige Unterstützung von Konzernen sowie Privatleuten angewiesen.

Chicago ist neben New York die Theaterhochburg. Viele international bekannte Stars haben hier ihr Debüt gemacht.

Wenn die Sprachkenntnisse es erlauben, wird ein Besuch im **Second City Theater** Ihren Sinn für Humor und Satire auf die Probe stellen; Komiker wie John Belushi und Joan Rivers haben hier ihren großen Durchbruch gehabt.

Das **Chicago Theatre** wurde 1921 als Kinopalast gebaut. Typisch für die Jugenstilzeit hat es reichliche kunstvolle Details. Einer Bürgerinitiative ist es zu verdanken, daß es 1986 zu seiner jetzigen Schönheit

(oben links) Die Second City ist eine Hochburg der Komödie.

(oben rechts) Das Chicago Theater, 1921 erbaut und 1986 restauriert.

(oben) Das Auditorium Theater, in 1889 gebaut, hat eine der hervorragendsten Akustiken.

restauriert wurde. Das imposante **Auditorium Theatre** mit viertausend Sitzen bietet seinem Publikum einen akustischen Hochgenuß. Es wurde 1889 von den Absolventen der Chicago Design School, Dankmar Adler und Louis Sullivan, entworfen.

Der Verband der Chicagoer Theater unterhält in der Innenstadt den HOT TIX Stand. Dort sind am Tag der Vorstellung Tickets zum halben Preis zu erhalten.

Ob eine Symphonie von Beethoven oder eine Uraufführung, Konzertbesucher können vom Chicago Symphony Orchestra immer einen musikalischen Hochgenuß erwarten. Die Orchestra Hall ist als "National Historic Landmark" ein historisch geschütztes Gebäude.

MUSIK

Seit mehr als einem Jahrhundert verwöhnt das **Chicago Symphony Orchestra** in der "Orchestra Hall" Kunstliebhaber der klassischen Musik mit erstklassigen Konzerten, und unabhängige Opernensembles offerieren ein reichhaltiges Repertoire.

In Chicago finden jährlich herrliche Musikfestivals statt, insbesondere Jazz, wie z.B. das Chicago Blues Festival im Grant Park. Jazz, eine Musikform mit eigenen Gesetzen und ästhetischen Maßstäben, entstand um die Jahrhundertwende im Süden der U.S.A. Das Wort Jazz selber aber wurde in 1914 in Chicago erfunden. Viele Größen der Blues-Ära sind heute noch in Chicago zuhause und spielen in Clubs wie Buddy Guy's Legends und Blue Chicago. Das "Ravinia Festival" in Highland Park, Illinois, ist nur 32 km entfernt und einen Abstecher wert.

Im Civic Opera House tritt neben einigen anderen erstklassigen Ensembles auch das vor vierzig Jahren gegründete "Civic Opera of Chicago Ensemble" auf. Das Opernhaus bietet Platz für rund 3 400 Zuschauer.

Anfang September, zum "Labour Day Weekend", findet im Grant Park das Chicago Jazz Festival statt. Fans aus der ganzen Welt strömen hierher, um unter freiem Himmel das beste, was es an traditionellem und zeitgenössischem Jazz gibt, zu hören. Bevor sich der Sommer dem Ende entgegen neigt, bevor Schule und Uni wieder ihre Türen öffnen, genießen Fans drei Tage lang auf drei Bühnen Jazz in allen Variationen. Kein Wunder, daß dieses Fest Jahr für Jahr ein Erfolg ist.

Wenn Sie sich zu den Blues Fans zählen, dann besuchen Sie auf jeden Fall Blue Chicago. Dieser Club, 937 North State Street, hat eine klassische Bluesclub-Atmosphäre und gehört zu einem der größten Clubs, in dem man auch tanzen kann. Die Vorführungen beginnen jeden Abend um 21 Uhr. Kommen Sie aber rechtzeitig und machen Sie sich auf eine lange Warteschlange bereit, dies ist der Club, wo sich alle einheimischen Fans zum Blues treffen.

UNIVERSITÄTEN

Wenn eine Stadt so viel zu bieten hat, studiert man gleich noch mal so gerne. Vielleicht hat Chicago deswegen mehr als fünfzig Fachhochschulen und Universitäten mit einem sehr vielseitigen und anspruchsvollen Studiumangebot. Von der **Northwestern University**, 1855 gegründet, ist das Evanston College, das sich kilometerlang am Ufer entlang erstreckt, durch die herrliche Lage sehenswert. Die Fakultät für Wirtschaft, Journalismus, Jura und Medizin ist in ganz Amerika bekannt und als Studiumsplatz sehr begehrt. Viele berühmte amerikanische Film- und Theaterschauspieler haben hier ihre Sprachausbildung erhalten.

Die **University of Illinois** ist eine der größten und modernsten Universitäten. Die Gebäude sind um ein Amphitheater herum gruppiert. Chicagos älteste Universität und Amerikas größtes Jesuiteninstitut ist **Loyola**.

Die größte und prestigevollste Privatakademie im Mittwesten ist die **University of Chicago**.

Northwestern University.

University of Illinois.

Im Dezember 1942 begann hier das Atomzeitalter!
Unter der Leitung von Enrico Fermi (1938
Nobelpreisträger für Physik) gelang die erste
Erzeugung von Atomenergie durch Kettenreaktion
bei der Uranspaltung in einem Kernreaktor.

(oben) University of Chicago: Robie House, entworfen by
Frank Lloyd Wright.

(darunter) Henry Moore: Bronzestatue "Nuclear Energy".

Loyola University ist Chicagos älteste Universität und zugleich das größte Institut der Jesuiten in Nordamerika.

"World's Busiest Airport" - Chicagos O'Hare International Flughafen ist seit Jahrzehnten als der verkehrsreichste Flughafen bekannt.

O'Hare International Airport ist 20 Minuten von der Innenstadt entfernt.

VERKEHRSMITTEL

Verkehrsmäßig gesehen ist Chicago das Verkehrszentrum des mittleren Westens Amerikas. Wasser- und Schienenwege aus dem letzten Jahrhundert verbinden sich mit dem modernsten Luft- und Straßennetz der heutigen Zeit. Die Chicagoer Hafenverwaltung bewegt jährlich Millionen Tonnen Warengut für die gesamte Binnenschiffahrt des Kontinents.

Chicago hat eines der modernsten Hochbahnnetze der Welt, und das öffentliche Verkehrssystem datiert weit in das letzte Jahrhundert zurück. Die ersten Verkehrsschienen wurden am 16. Januar 1836 in Auftrag gegeben, um Chicago mit den Bleiminen in Galena zu verbinden. Knapp dreizehn Jahre später, am 10. Oktober 1848, lief die erste Lokomotive, "The Pioneer", in Chicago ein.

Dem umfangreichen Verkehrs- und Kanalsystem ist es zu verdanken, das sich Chicago so rapide entwickeln konnte. Nach Fertigstellung der Kanalstraßen und des St.-Lawrence-Seeweges, verdreifachte sich Chicagos Einwohnerzahl in nur drei Jahren. Noch heute hält Chicago seine Position als Stadt mit dem größten Verkehrsnetz und dem größten Binnenhafen der Welt.

Generell gesehen sind die Verkehrsverbindungen in Chicago unkompliziert. Der Chicago Transit Verband unterhält ein wohlorganisiertes Netz von Bussen und Bahnen, einschließlich des beliebten "El", das Straßenbahnsystem der Innenstadt.

Für einen Stadtbummel verzichten Sie am besten auf die öffentlichen Verkehrsmittel. Es gibt so viel zu sehen und zu erleben, da gehen Sie am besten zu Fuß. Und wenn die Beine müde werden, Taxen gibt's an jeder Straßenecke. Nur denken Sie daran, jeder Fahrgast muß einen Aufschlag zahlen.

NACHWORT

Entdecken Sie Chicago – genießen Sie die Vielfalt. Chicago ist eine Stadt, für die man sich begeistern kann. Lassen Sie sich von den belebten Straßen anstecken.

Machen Sie eine Pause im Park oder entspannen Sie sich am Strand. Genießen Sie den Kunstreichtum, besuchen Sie die Galerien und Museen. Oder gehen Sie Shopping – das Warenangebot hat Weltklasse.

Schlemmen Sie nach Herzenslust in einem der sechstausend Restaurants oder erfreuen Sie sich an Musik, Theater oder bei einem der vielen Künstlerfeste.

Chicago wird Ihnen gefallen – die charmanten Stadtteile, die avantgardistische Architektur sowie die anspruchsvolle Theaterszene sind immer wieder eine Reise wert.

Verlag und Herausgeber:

Irving Weisdorf & Co. Ltd.

2801 John Street,
Markham, Ontario, L3R 2Y8

Bildredaktion	Text	Redaktion	Gestaltung
Hilary Forrest	**Kara Kuryllowicz**	**Sandra Tonn**	**Jack Steiner**

Fotografie

Larry Fisher 1, 2, 4, 5, 8/9, 10, 11, 12, 17b, 18a, 19, 20a, 22, 26/27, 28, 29b, 32b, 34a, 35a, 35b, 39a, 40b, 41d, 47a, 48c, 49b, 51a, 52b, 53a, 53b, 54b, 54c, 58a, 58b, Rückseite

Irving Weisdorf & Co. Ltd. 40a

Chris Cheong 3, 30, 31, 33c, 44/45, 49b, 60a, 60b, 62b, 62d, 62e, 63a, 63b, 63d, 63f

The Image Bank
John Bryson	37a
Andy Caulfield	36c
Guiliano Colliva	61
David W. Hamilton	17a, 55b
Gregory Heisler	20b, 52a, 57b
David Maenza	16a, 24, 25
Andrea Pistolesi	13b
Marc Romanelli	16b
Santi Visalli	56b, 59c

Tony Stone Images
Glen Allison	43a
Churchill & Klehr	34b
David Hanson	23
Cathy Melloan	21, 53d
Peter Pearson	36b, 38c
Mark Segal	15
Charles Thatcher	57a

Gera Dillon 13a, 14, 36a

Ray Grabowski 48a, 48b, 49a, 50

Stephen Green 51b

Ivy Images 6, 7

MLB Photos 51c, 51d

Superstock/Four by Five Photography Inc. 38a, 38b, 38d

Die Abbildungen wurden zur Verfügung gestellt von:

Adler Planetarium	42a, 42b
Arlington International Race Course	47b, 47c
Auditorium Theatre	55c
Bloomingdale's	33a
Blue Chicago Club	57c
Chicago Board of Trade	63c
Chicago Children's Museum	42c, 62e
Chicago Department of Aviation	60c
Chicago Department of Cultural Affairs	37b, 37c, 37d, 62a
Chicago Park District	43b, 43c, 46d, 62g, 63e
Crate & Barrel	32a
Chicago Zoological Society/ Brookfield Zoo	46a, 46c
Edward G. Lines Jr./ Shedd Aquarium	40c
James Steere/Chicago Symphony Orchestra	56a, 62c
Loyola University, Chicago	59d
Marshall Field's	33b
Museum of Science and Industry	39b
Nike Town	32c
Palmer House	35c
The Field Museum, Chicago	41a, 41b, 41c
The Second City	55a, 62f
University of Chicago	59a, 59b
University of Illinois	58c

The Major League Baseball ist ein gesetzlich geschütztes Markenzeichen mit Urheberrecht und wurde mit Genehmigung der Major League Baseball Properties, Inc. benutzt.

Titelseite
Tag: **Larry Fisher**
Nacht: **M. Segal/Tony Stone Images**